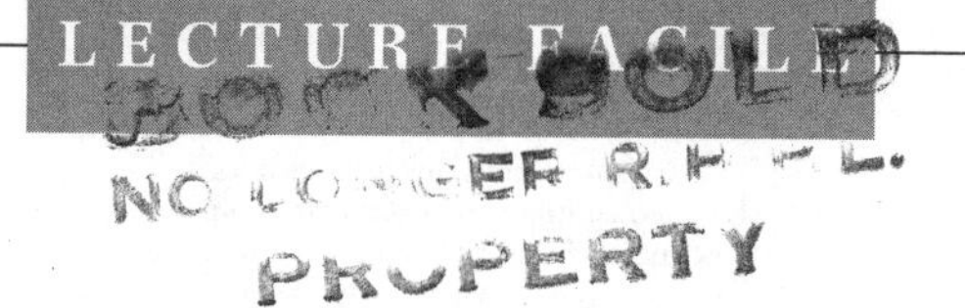

NOTRE-DAME DE PARIS

VICTOR HUGO

tome II

Esmeralda

Adaptation
VINCENT LEROGER

Édition enrichie d'un dossier pédagogique
MARIE-FRANÇOISE GLIEMANN

HACHETTE
Français langue étrangère
http://www.fle.hachette-livre.fr

Crédits photographiques : couverture : Collection Christophe L ; p. 8 ND-Viollet – p. 9 Photo12.com Oasis – p. 17 Cinéstar Média press – p. 21 collection Viollet – pp. 30 et 33 R. Voinquel © DR – p. 37 haut collection Kipa – p. 37 bas R. Voinquel © DR – p. 39 Ciné Plus – p. 43 Cinéstar Média press – p. 47 collection Viollet – pp. 50 à 56 R. Voinquel © DR – p. 58 collection Kipa – p. 73 Photo12.com Oasis – p. 74 Giraudon/Bridgeman Art Library – p. 91 Photo12.com ARJ.

Couverture et conception graphique : Guylaine Moi
Composition et maquette : Joseph Dorly éditions, Médiamax
Illustrations : Jean-François Henry
Iconographie : Christine de Bissy, Brigitte Hammond

ISBN 2 01155279-6

Sommaire

POUR ALLER PLUS LOIN

NB : les mots accompagnés d'un * dans le texte sont expliqués dans « Mots et expressions », en page 60.

L'œuvre et son auteur

Les tours de Notre-Dame et l'Île de la Cité à Paris sont les témoins d'un drame qui déchire quatre hommes et une belle bohémienne : le capitaine Phœbus qui ne cherche que son bien-être et son plaisir, Claude Frollo, prêtre mais amoureux de la jeune femme, Quasimodo, le sonneur de cloches au corps monstrueux mais au cœur généreux, et Pierre Gringoire, poète sans le sou et époux d'Esmeralda. Lequel des quatre gagnera l'amour de la jeune femme ? La cathédrale sera-t-elle un refuge pour les malheureux ? Qui, de l'amour ou de la mort, l'emportera ?

Victor Hugo est né à Besançon (Jura) en 1802. Au cours des dix premières années de sa vie, il déménage plusieurs fois en Europe (Espagne, Italie, France) avec sa famille ce qui explique peut-être les débuts précoces de son inspiration. Il se tourne de bonne heure vers la poésie et connaît, dès l'âge de seize ans, ses premiers succès officiels. Il se lance dans l'écriture de romans et en 1829 est publié *Les Derniers jours du condamné* qui annonce son « socialisme » et son génie solitaire, populaire et scandaleux. Puis il apparaît comme le théoricien et le chef de file de l'école romantique et en 1830, sa pièce de théâtre *Hernani* est un triomphe même si elle est à l'origine d'une « bataille » entre les « classiques », les bien-pensants, attachés au bon goût des règles théâtrales, et les « romantiques », les révolutionnaires et défenseurs de la liberté en littérature. Il réunit chez lui un groupe d'auteurs, le *Cénacle*, pour définir les idées du romantisme naissant et lutter contre le formalisme classique (1823-1828). D'autres œuvres paraissent : des poèmes, des romans, *Notre-dame de Paris* en 1831, et des pièces de théâtre, *Le Roi s'amuse* en 1832, *Lucrèce Borgia* en 1833, *Ruy Blas* en 1838. Sa notoriété le fait élire membre de l'Académie Française en 1841. En plus de sa carrière littéraire, Victor Hugo prend des positions assez radicales dans la vie politique du pays. Il devient républicain, partisan d'une démocratie libérale et humanitaire. Il s'insurge contre la misère du peuple et la peine de mort, il défend la liberté d'expression et l'éducation pour tous. Ses positions le conduisent à l'exil en 1851. Pendant près de vingt ans, il séjourne à Jersey puis à Guernesey (îles anglo-normandes) où il continue à écrire poèmes et romans, *Les Misérables* en 1862, *Les Travailleurs de la terre* en 1865. Il rentre en France en 1870, se lance dans une carrière politique tout en poursuivant ses créations littéraires. Il meurt à Paris en 1885, la République lui fait des obsèques nationales : il repose au Panthéon au côté de nombreux autres Grands Hommes.

Résumé du premier tome

1466 : Agnès est enlevée par des bohémiens à Reims. Sa mère, la Sachette, croyant que son enfant a été tuée et qu'elle ne la reverra plus, se rend à Paris où elle demande à vivre en recluse, dans une cave. Sa requête est agréée par Claude Frollo, le plus jeune prêtre de Notre-Dame de Paris. Érudit, craint du peuple, il se consacre aux études et à l'éducation de son jeune frère Jehan. Il adopte Quasimodo, un enfant abandonné, borgne et difforme qui deviendra le sonneur de cloches de Notre-Dame.
Seize ans plus tard, en 1482, les rues de Paris sont en fête pour l'Épiphanie. Seul Gringoire, l'auteur de la pièce de théâtre qu'on vient de jouer, est désespéré : il ne sera pas payé parce qu'il ne remporte aucun succès. Il est témoin de l'enlèvement par Quasimodo d'Esmeralda, la belle bohémienne, puis il est agressé par des voleurs qui menacent de le pendre. Le capitaine Phœbus délivre Esmeralda et la jeune fille accepte de se marier avec Gringoire pour le sauver de ses agresseurs. Les deux jeunes mariés vivent « comme frère et sœur » à la Cour des Miracles ; en effet, Esmeralda est tombée amoureuse de Phœbus.
Quasimodo est condamné, fouetté devant une foule hostile et abandonné par Frollo, l'instigateur de l'enlèvement. Seule Esmeralda a pitié du sonneur de cloches et lui apporte à boire.

Illustration de Brion, gravure de Yon et Perrichon, 1865.

Les jeunes filles

Plusieurs semaines se sont passées depuis que Quasimodo a été exposé à la colère du peuple de Paris. Les Parisiens ont déjà tout oublié, même le moment où Esmeralda est venue donner à boire au pauvre bossu.

Ce soir-là, le soleil de mars rougit la cathédrale. Dans une belle maison, juste face à Notre-Dame, quelques jolies jeunes filles rient et bavardent sur la terrasse. En voyant leurs vêtements et leurs mains blanches, on peut comprendre qu'elles sont riches et de noble* famille. Ce sont en effet Mlle Fleur-de-Lys de Gondelaurier et ses amies Diane de Christeuil, Amelotte de Montmichel, Colombe de Gaillefontaine et la petite Bérangère de Champchevrier.

Derrière, dans la chambre richement meublée, Mme de Gondelaurier, la mère de Fleur-de-Lys, parle avec un beau jeune homme habillé en capitaine des gendarmes de Paris : Phœbus de Châteaupers qui, quelques semaines avant, avait sauvé la Bohémienne Esmeralda des mains de Quasimodo.

Phœbus s'ennuie. Il a été obligé de venir ici, puisque sa tante Gondelaurier l'a invité. La vieille dame veut lui donner sa fille en mariage. Mais Phœbus n'a pas du tout envie de se marier. Il se trouve trop jeune. Bien sûr, sa cousine est riche et jolie. Mais il préfère aller dans les tavernes, faire de grosses plaisanteries avec les soldats[1] et voir des filles de mauvaise vie. Plus tard, peut-être, quand il sera très vieux, quand il aura vingt-cinq ans... Et puis, il ne sait pas de quoi leur parler, il a peur de dire des bêtises. C'est vrai que devant les jeunes filles, Phœbus a l'air très bête. Pendant ce temps, Mme de Gondelaurier n'arrête pas de lui dire que sa fille Fleur-de-Lys est la plus jolie et la plus gentille demoiselle de Paris, qu'elle apportera beaucoup d'argent à l'homme avec qui elle se mariera...

À ce moment, la petite Bérangère de Champchevrier se met à crier :

- Oh, Fleur-de-Lys, regardez la danseuse sur la place avec sa petite chèvre !

- Ce n'est qu'une bohémienne, répond Fleur-de-Lys, triste et fâchée parce que Phœbus ne lui parle pas. Mais elle ne peut s'empêcher de dire à son cousin :

- Gentil Phœbus, n'est-ce pas la bohémienne que vous avez sauvée d'une douzaine de voleurs, il y a deux mois ?

Phœbus regarde et dit :

- Oui, c'est elle, je la reconnais à sa chèvre.

- Et là-haut, sur la tour de Notre-Dame, continue la petite fille, il y a un homme tout noir qui la regarde. Il me fait peur...

- C'est l'archidiacre Frollo, dit Phœbus. Gare à notre petite danseuse ! Car il n'aime pas les bohémiennes.

---

1. Soldat : les soldats forment l'armée. Ceux qui les dirigent sont les officiers.

- C'est bien dommage. Elle danse si bien, répond Fleur-de-Lys. Dites-lui de venir, ça nous amusera.

- C'est une folie, dit Phœbus. Elle m'a sans doute oublié, et moi, je ne me rappelle même pas son nom. Je vais quand même essayer.

Il se penche par-dessus la fenêtre et crie :

- Petite !

Esmeralda - car c'est elle - lève la tête, s'arrête de danser et rougit très fort en reconnaissant Phœbus.

- Petite, répète le capitaine en lui faisant signe de venir avec son doigt.

Le secret

En voyant entrer Esmeralda, timide, rouge, les yeux baissés, les nobles jeunes filles regrettent de l'avoir fait venir : Esmeralda est beaucoup plus belle qu'elles. Le capitaine, qui n'est pas très intelligent, ne voit pas le changement sur leur visage. Il dit très fort :

- Par Dieu, voilà une charmante fille, ma cousine !

- Pas mal, répond Fleur-de-Lys, jalouse.

Enfin, sa mère dit :

- Approchez, petite.

Et Bérangère, qui n'a que sept ans, répète à Esmeralda qui est pourtant trois fois plus grande qu'elle :

- Approchez, petite.

La bohémienne s'avance. Phœbus, lui, se dresse de toute sa taille et lui dit :

- Belle enfant, je ne sais pas si vous me reconnaissez...

- Oh oui, je vous reconnais ! répond Esmeralda avec un sourire très doux.
- Elle a bonne mémoire, dit Fleur-de-Lys.
- Tu ne dis rien, petite, continue Phœbus, est-ce que je te fais peur ?
- Oh non !
- Pourtant, l'autre fois, quand je t'ai sauvée de ce sonneur de cloches bossu et borgne[1], tu es partie comme si j'étais le diable. D'ailleurs qu'est-ce qu'il te voulait, ce Quasimodo ?
- Je ne sais pas.
- Ah, je le sais bien, moi, par les cornes du diable. Mais le bourreau*, en le frappant, lui a fait comprendre qu'on ne touchait pas à une belle fille comme toi.
- Pauvre homme, dit Esmeralda qui se rappelle Quasimodo souffrant sur la roue*.
Le capitaine se met à rire :
- Pauvre homme ? Je veux bien être gros comme l'archevêque* si... Oh pardon, mesdames. Ah ! la belle fille.
- Assez mal vêtue, dit Diane de Christeuil.
C'est vrai que, dans sa robe blanche, légère et courte, la bohémienne semble bien pauvre à côté des jeunes filles si richement vêtues. Fleur-de-Lys, de plus en plus jalouse, est contente de trouver enfin quelque chose à dire contre Esmeralda. Alors, toutes se mettent à plaisanter sur les vêtements de la danseuse, comme si elle n'était pas là.
Phœbus, lui, continue à rire :
- Laisse-les dire, petite, tu es assez belle pour te moquer de tout ça.
- Mon Dieu ! dit la blonde Gaillefontaine, je vois que les capitaines des gendarmes tombent facilement amoureux des yeux des bohémiennes.

---

1. Borgne : qui n'a qu'un œil.

– Et pourquoi pas ? dit Phœbus.

À ces mots, Esmeralda relève la tête et regarde Phœbus avec joie. Elle est bien belle en ce moment. Soudain la mère de Fleur-de-Lys se met à crier :

– Ah, la vilaine bête !

C'est la petite chèvre Djali qui vient d'entrer. Esmeralda lui prend la tête et lui parle à l'oreille comme pour s'excuser de l'avoir oubliée.

– Oh, mais qu'est-ce que cette chèvre a au cou ? demande Fleur-de-Lys en montrant un petit sac.

– C'est mon secret, dit Esmeralda.

– Bon, dit la mère de Fleur-de-Lys à la bohémienne, si vous ne voulez pas danser, partez d'ici !

– Allons, une petite danse, ma belle, dit Phœbus. Comment t'appelles-tu ?

– Esmeralda.

À ce nom étrange, tout le monde se met à rire. Sauf la petite Bérangère qui crie :

– Fleur-de-Lys, regardez ce que la chèvre vient de faire !

Bérangère a en effet ouvert le petit sac qui est autour du cou de Djali. Des lettres faites en bois sont tombées par terre. Avec sa patte, la chèvre les a mises en ordre et cela donne le nom : PHŒBUS.

– C'est la chèvre qui a écrit cela, dit Fleur-de-Lys. Voilà le secret.

Esmeralda rougit, puis devient toute blanche devant le capitaine qui, lui, semble très content. Fleur-de-Lys se met à pleurer. Très vite, Esmeralda ramasse les lettres, appelle sa chèvre et part en courant.

Un moment, Phœbus ne sait pas quoi faire. Enfin, sans saluer personne, il sort et suit la bohémienne.

L'archidiacre et le poète

Du haut de la cathédrale, Claude Frollo, triste, a vu partir Esmeralda vers la maison d'en face. Lui qui n'a jamais connu de femme et qui a passé sa vie à étudier, il ne comprend pas ce qu'il lui arrive. Pourquoi, même quand il est en train d'essayer de trouver un moyen pour faire de l'or, pourquoi, même quand il lit un livre des Anciens, le visage de cette femme revient toujours et l'empêche de travailler ? Il pense parfois que c'est le diable qui fait cela.

Il descend sur la place devant la cathédrale. Il s'approche de l'homme qui a remplacé Esmeralda devant les spectateurs. Cet homme est vêtu d'un vêtement à moitié jaune à moitié rouge. Il tient une chaise entre ses dents au-dessus de sa tête. Sur la chaise, il y a un chat. Mais les spectateurs ne s'intéressent pas à cela : ils préféreraient voir Esmeralda.

« Qui est cet homme ? se demande Frollo, j'ai toujours vu à cet endroit la bohémienne qui me mange l'âme...[1]. »

Puis, à voix haute :

- Eh, l'ami, où est passé la danseuse ? Oh, par exemple, mais c'est Gringoire ! Que fais-tu là ?

À ces mots, l'homme, surpris, fait tomber la chaise. Le chat se sauve.

- Gringoire, répète Frollo. Toi dont j'ai été le professeur, toi qui devais devenir un grand poète, que fais-tu ici en bohémien ? N'as-tu pas honte ?

Gringoire le regarde en souriant et répond :

---

1. Âme : la pensée de l'homme ; l'âme s'oppose au corps.

Sur la terrasse, le capitaine Phœbus de Chateaupers bavarde avec Fleur-de-Lys de Gondelaurier.

Sur la place, Esmeralda, sa chèvre et le poète Gringoire présentent un spectacle.

– Ah, mon maître, je sais bien ce que je vous dois. Oui, vous m'avez appris à lire, à écrire, vous m'avez appris le latin et le grec, alors que je n'étais qu'un fils de paysan. Je suis devenu poète. Mais la poésie ne donne pas à manger. La pièce de théâtre que j'ai écrite pour la fête des fous[1] ne m'a toujours pas été payée. Vous m'avez tout appris, mais pas à gagner ma vie. Un soir d'hiver, j'étais sans vêtements, sans lit où dormir, sans rien à manger. Je me suis retrouvé à la Cour des Miracles, entre le duc d'Égypte et le roi des truands qui voulaient me tuer. Heureusement, une femme m'a sauvé...

– Une femme ? Tu veux dire Esmeralda la sorcière ? Gare[2] à toi, Gringoire, gare au diable !

– Bah, Esmeralda est une gentille fille qui n'a rien à voir avec le diable. D'ailleurs, nous nous sommes mariés.

– Mariés ? Toi, avec elle ? Mais...

Gringoire est surpris par la colère de Frollo.

– Hélas pas vraiment mariés, répond-il toujours souriant. Elle est devenue ma femme pour me sauver de la Cour des Miracles. Mais quand j'ai voulu faire ce qu'un mari doit faire le soir de son mariage, elle a sorti un petit couteau, et Djali m'a montré des cornes très pointues.

– Et tu ne l'as jamais touchée ?

– Qui, la chèvre ?

– Non, imbécile, la sorcière.

– Jamais. Nous sommes comme frère et sœur, maintenant.

– Attention, Gringoire, tu es le frère du diable ! Quitte-la, sinon, tu vas perdre ton âme. Elle et cette chèvre...

---

1. Voir *Notre-Dame de Paris*, tome I, *Quasimodo*.
2. Gare : attention !

- Ah, Djali est l'animal le plus intelligent du monde. Elle sait même écrire. Elle réussit à faire le mot Phœbus.

- PHŒBUS ? Pourquoi, qui est-ce ?

- Phœbus est le dieu du Soleil pour les Anciens. Alors peut-être que cette Égyptienne croit aux dieux des Anciens.

- Peut-être... Mais toi, ne touche jamais à cette femme, sinon, l'enfer*.

Et Frollo s'en va comme un fou.

« Je ne reconnais plus mon maître, se dit Gringoire en cherchant le chat. Serait-il amoureux de ma gentille petite femme, par hasard ? Cela ferait une jolie pièce de théâtre. Une pièce de théâtre qui m'emmènerait tout droit en prison... »

Les deux frères

Quelques jours après, dans sa petite chambre du Quartier latin*, Jehan, le frère de l'archidiacre, se réveille en pensant :

- J'ai faim.

Il regarde sur la table, sous la chaise, sous le lit...

Rien, pas le moindre petit bout de pain. Il regarde dans ses poches : rien, pas le moindre liard*. Que faire ?

- Plus personne ne voudra me prêter un peu d'argent. Il ne me reste que mon bon frère Claude. Mais... Il va encore me faire de grands discours, me dire qu'il faut travailler. Tant pis ! On écoute le discours, on prend l'argent et « au revoir, mon frère, à la prochaine fois ! ». Du courage, Jehan, vas-y, ce n'est qu'un mauvais moment à passer.

Et le joyeux écolier descend vers l'île de la Cité. Dans la rue, il évite de passer devant la porte d'une charcuterie ou d'une boulangerie d'où sortent de bonnes odeurs de nourriture qui lui font mal au ventre. Enfin, il entre dans la cathédrale comme s'il était chez lui, monte un escalier étroit et arrive devant une petite porte : c'est l'entrée de l'appartement de l'archidiacre Claude Frollo. La porte n'est pas fermée. Jehan la pousse en silence. Il voit son frère, de dos, assis devant une grande table où il y a de nombreux livres. Sur les murs pleins de poussière, des phrases écrites en latin, en grec et en hébreu. Un peu partout, des instruments bizarres ; dans la cheminée, une très grande marmite[1] noire. Jehan comprend : ce sont des instruments d'alchimie*. Son frère essaie de fabriquer de l'or.

« S'il pouvait réussir et m'en donner un peu », pense-t-il.

Il entre doucement. Son frère, qui ne l'a pas entendu, parle tout seul :

– Zoroastre l'avait dit : le soleil est né du feu et la lune du soleil. Le feu est l'âme de tout. De lui vient la lumière. La lumière et l'or, c'est la même chose. L'or, c'est du feu solide. Mais comment rendre le feu solide ? Averroès disait qu'il fallait d'abord savoir prononcer les mots secrets : la Maria, la Sophia, la Esmeral... Ah, toujours cette pensée qui revient. Cette pensée qui m'empêche de travailler.

Et il ferme le livre avec violence.

– Depuis quelque temps, je rate[2] tout, comme si cette pensée détruisait mon intelligence. Pourtant, j'ai retrouvé le marteau[3] magique de Zéchiélé.

---

1. Marmite : sorte de grande casserole, pour faire cuire la nourriture. 2. Rater : échouer.
3. Marteau : outil avec lequel on frappe pour enfoncer.

L'archidiacre Claude Frollo fait de l'alchimie en secret.

Chaque fois qu'il disait le nom d'un ennemi en frappant avec ce marteau sur une pierre, cela faisait une flamme bleue et l'ennemi mourait. C'est simple !

« Pas pour tout le monde », pense Jehan.

– Essayons encore, en disant les mots magiques : Emeu-Hétan, Phœbus... Ah, encore !

Et il jette le marteau. Jehan croit que son frère devient fou. Il frappe à la porte.

– Entrez, crie Claude Frollo, entrez, maître Jacques. Quoi, c'est toi Jehan ?

– Eh, Claude, c'est toujours un J, mais la suite n'est pas la même !

– Que viens-tu faire ici ?

– Eh bien, heu... J'ai besoin de tes conseils, car je crois que je ne vis pas bien en ce moment.

– Je sais. On m'a dit que tu t'étais battu, hier encore.

– Oh, non, c'était pour rire...

– Que vas-tu faire de ta vie, Jehan, si tu continues ?

– Je voudrais devenir comme toi, et être un alchimiste*.

Cette fois, c'est le grand frère qui semble gêné : en ce temps-là, l'alchimie était punie de mort.

– Que me veux-tu alors ?

– J'ai besoin d'argent.

– Quoi, tu as déjà dépensé ce que je t'ai donné ?

Alors Jehan, qui est bon acteur, commence à raconter, en pleurant et en riant en même temps, de terribles histoires qui lui seraient arrivées. Soudain, on entend quelqu'un dans l'escalier...

– Cache-toi, dit Claude à Jehan, il faut que je sois seul.

– Tu me donneras de l'argent, alors ?

– Oui, oui, vite, cache-toi !

– Donne-moi l'argent tout de suite...

- Tiens, dit Claude en sortant sa bourse* et en lui donnant une belle pièce d'or. Vite, cache-toi !

Jehan disparaît derrière la grande marmite, dans la cheminée.

- Entrez, maître Jacques, dit alors Claude Frollo.

Le sorcier et le bourreau

Maître Jacques est un homme grand et fort. Dans sa cheminée, Jehan ne peut s'empêcher de trembler :

« Le bourreau ! »

Oui, c'est bien lui, c'est bien l'homme dont le métier est de punir les voleurs, les assassins, les sorciers. C'est lui qui les torture* en les mettant à la question* avant de leur passer une corde autour du cou. Et Jehan pense que lui aussi, un jour peut-être, sera entre ses mains.

- Alors, maître Jacques, dit Claude Frollo, votre prisonnier a-t-il enfin dit quelque chose ?

- Oh, non, ce sorcier est aussi silencieux qu'une pierre. J'ai tout essayé pourtant : je lui ai fait boire tellement d'eau que son ventre est devenu deux fois plus gros, je lui ai arraché les ongles[1] des pieds et des mains. Rien, il se tait. Mais j'ai trouvé ce papier qui peut vous intéresser.

Frollo se met à lire, puis jette le papier dans un coin :

- Rien, rien... Je sais tout cela, j'ai lu tout cela, j'ai fait tout cela... Brûlez votre sorcier, il ne sert à rien.

- Pourtant, l'histoire de ces deux statues en dessous du vitrail*, à l'entrée de la cathédrale...

---

1. Ongle : partie dure et lisse au bout des doigts.

– Allons les voir, maître Jacques, peut-être nous diront-elles quelque chose. En attendant, prenez cet argent.

Frollo donne deux grosses pièces d'or au bourreau et il laisse sa bourse sur la table.

– Autre chose, seigneur Frollo, dit maître Jacques, que dois-je faire au sujet de la petite Esmeralda ?

– Pour le moment, rien. Je vous dirai quand il faudra agir. Allons voir les statues, maintenant.

Frollo et le bourreau sortent. L'archidiacre a oublié que son jeune frère est là.

« Eh bien, se dit Jehan en sortant de la cheminée, mon frère, qui sait me donner de si sages conseils, serait donc un sorcier ? Voilà qui est drôle ! Et ces belles pièces d'or, là, sur la table, donneraient à manger seulement au bourreau ? Ah non, la famille d'abord ! À moi l'argent, ou plutôt à moi, à mes amis, à la taverne et aux filles ! »

Et la bourse disparaît dans la veste de l'écolier...

Il descend les escaliers à toute vitesse, sort de l'église, voit son frère et le bourreau qui regardent quelque chose au-dessus de la porte de la cathédrale et qui parlent en faisant de grands gestes.

« Parle, parle, mon frère, se dit Jehan. Moi, avec ta bourse, je vais manger et boire, je vais faire la plus grande fête de ma vie. »

Soudain il entend une voix derrière lui qui crie :

– Sang de Dieu, cornes du diable !

Il se retourne et crie à son tour :

– Ça alors, mais c'est le capitaine Phœbus ! Oh là, Phœbus, qu'est-ce qui vous arrive ?

En entendant son frère dire ce nom de Phœbus, l'archidiacre se retourne. Il voit le capitaine des gendarmes devant la maison de Fleur-de-Lys. Cette fois, il en est sûr, c'est lui, c'est l'ennemi...

L'argent de l'archidiacre

– Cornes du diable ! répète Phœbus.

– Cornes du diable vous-même ! répond Jehan. Vous avez l'air en colère. Que vous arrive-t-il ?

– Ah, mon cher, je viens de passer deux heures avec des petites filles trop sages et une vieille dame qui veut absolument me marier avec l'une d'entre elles. Il fallait que je fasse attention à tout ce que je disais, que je sois bien poli, cornes du diable, cornes du diable !

– Allons, capitaine, allons boire, cela vous fera du bien.

– D'accord, mais je n'ai pas d'argent.

– Moi, j'en ai !

– Vous, Jehan, le pauvre écolier ? Vous plaisantez !

– Regardez, mon cher, regardez !

Jehan ouvre la bourse de son frère et la renverse. De belles et nombreuses pièces roulent sur le sol.

– Qui donc avez-vous tué et volé pour cela ? demande Phœbus dont les yeux brillent.

– Personne, monsieur le gendarme. J'ai simplement un frère archidiacre et idiot.

– Vive Claude Frollo ! crie le capitaine. Allons boire !

– Que pensez-vous de la taverne de *La Pomme d'Ève ?* Ils ont le meilleur vin de Paris.

Les deux jeunes gens ramassent les pièces et partent en se tenant par le bras. Claude Frollo, lui, a quitté le bourreau. Il les suit. Il veut être sûr que ce Phœbus est bien le même que celui dont lui a parlé Gringoire un moment avant. Il lui est facile de ne pas se faire remarquer des deux jeunes gens. Ils marchent au milieu de la rue et parlent très fort. Frollo peut entendre tout ce qu'ils disent. Ils parlent de bagarre, de vin et de toutes sortes de folies. Soudain, au coin d'une rue, Phœbus dit :

- Cornes du diable, marchons plus vite.

- Et pourquoi donc ?

- J'ai peur que la petite bohémienne me voie.

- Quelle bohémienne ?

- Je ne me rappelle pas son nom, celle qui a une chèvre.

- Esmeralda ?

- C'est ça. Si elle me reconnaît, j'ai peur qu'elle vienne me voir et que les gens disent des choses...

- Eh, eh, vous la connaissez bien, alors !

Phœbus parle tout bas à l'oreille de Jehan. Puis il se met à rire.

- Non ! Ce soir ? demande Jehan. Vous êtes sûr ?

- On est toujours sûr de ces choses-là.

- Phœbus, vous êtes le plus heureux des gendarmes.

Derrière eux, l'archidiacre entend cela. Ses jambes tremblent, il s'appuie contre le mur. Il est blanc comme s'il allait mourir. Enfin, il se relève. Là-bas, les deux amis entrent dans la taverne de *La Pomme d'Ève* en chantant :

Les enfants de Notre-Dame
Mourront tous pour une femme.

Le diable noir

Phœbus et Jehan sont restés longtemps dans la taverne. Ils boivent, ils parlent fort et plaisantent avec les filles qui leur servent toujours plus de vin. Dehors, Frollo attend en marchant de long en large. Pour qu'on ne le reconnaisse pas, il s'est acheté un long manteau noir derrière lequel il cache son visage. Un enfant qui passe crie en le voyant marcher ainsi : « le diable noir ! » et part en courant.

En ce temps-là, les Parisiens croyaient que, la nuit, un diable habillé de noir se promenait dans les rues et essayait de voler l'âme des gens pour les emporter en enfer.

Sept heures du soir vont sonner dans toutes les églises de Paris quand, enfin, dans la nuit, Phœbus et Jehan sortent de la taverne.

- Non et non, je ne boirai plus, crie Phœbus. Je vais être en retard à mon rendez-vous avec la belle Esmeralda...

- Allons, encore un, répond Jehan en parlant difficilement, venez...

Et il lui prend le bras. Phœbus le repousse. Jehan tombe et s'endort tout de suite comme un petit enfant. Avec gentillesse, Phœbus enlève son manteau et le met sur son ami comme une couverture pour qu'il n'ait pas froid.

- Vite, dit-il, sinon la bohémienne va m'attendre.

Dès qu'il est parti, Frollo apparaît. Il regarde son frère. Son frère qu'il aime tant. Doit-il le laisser dans la rue, comme un mendiant[1] ? Pauvre petit !

---

1. Mendiant : pauvre qui demande de l'argent ou un peu de pain (mendier).

Mais ce Phœbus... Frollo se penche sur Jehan et veut l'emporter dans ses bras. Mais, à ce moment-là, il entend Phœbus qui chante au bout de la rue :

La belle bohémienne
Ce soir sera mienne
Oui, mais demain midi
Vive la Fleur-de-Lys !

Frollo se met à courir derrière son ennemi. Phœbus se retourne en l'entendant venir. Quand il voit cette ombre noire, le capitaine des gendarmes prend peur. Est-ce le diable noir ? Allons ! un capitaine des gendarmes n'a peur de rien. Il continue son chemin en chantant : « La belle bohémienne... »

L'ombre noire le suit toujours. Est-ce un voleur ? Phœbus le tuera facilement. D'ailleurs, il n'a pas d'argent. Mais si c'était... si c'était le diable noir ? Le mieux est de l'attendre et de savoir ce qu'il veut. L'ombre s'approche comme une statue qui marche. Cette fois, Phœbus a vraiment peur. Il fait semblant de rire et dit :

– Eh, si vous êtes un voleur, vous n'avez pas de chance. Je suis un fils de famille sans argent.

L'ombre lui prend le bras et le serre très fort :

– Capitaine Phœbus de Châteaupers.

– Vous connaissez mon nom ?

– Vous avez un rendez-vous ce soir avec une femme.

– Oui, à sept heures, répond Phœbus, de plus en plus étonné.

– Dans une chambre de l'hôtel de la vieille Falourdel.

– Eh, c'est vrai cela, dit Phœbus qui, en pensant à son rendez-vous, redevient joyeux et oublie sa peur. Avec la belle Esmeralda.

- Tu mens, Phœbus.
- Cornes du diable ! crie Phœbus, jamais on ne m'a dit cela. Même si tu es le diable noir, nous allons nous battre.

Il sort son épée*. L'ombre ne bouge pas et dit :
- Nous nous battrons plus tard. Et je te tuerai. En attendant, montre-moi que tu ne mens pas et que tu as bien rendez-vous avec cette femme. Laisse-moi venir avec toi dans cet hôtel. Si c'est bien Esmeralda, si tu n'as pas menti...

Phœbus trouve l'idée amusante. Le capitaine des gendarmes et l'archidiacre de Notre-Dame partent comme deux vieux amis vers l'hôtel de la vieille Falourdel.

Le rendez-vous

Esmeralda se lève, rose et joyeuse, quand elle voit entrer dans la petite chambre son Phœbus bien-aimé.

Derrière la fenêtre par où il les regarde, Frollo ne peut entendre ce qu'ils disent, mais il comprend que ce ne sont que de simples paroles d'amoureux. Paroles qui veulent toujours dire : « Je t'aime. » Et cela rend fou l'archidiacre.
- Oh c'est mal ce que je fais, dit Esmeralda. Je n'aurais jamais dû venir.
- Au contraire, répond Phœbus. Il n'y a rien de mal à cela. Viens dans mes bras, ma belle !
- Oh, j'ai peur, mon cher capitaine. Voyez cette petite chaussure d'enfant que je porte à mon cou. Une vieille bohémienne, qui m'a servi de mère, m'a dit que grâce à elle je retrouverais un jour mes parents. Mais pour cela, il faudrait que je n'aime aucun homme avant... Ah, tant pis, je ne connaî-

Et Phœbus à Esmeralda :
- Viens dans mes bras, ma belle.

trai jamais mes parents. Mais cela n'a plus d'importance puisque j'ai trouvé ce soir le meilleur des maris.

- Des maris, c'est ça, oui !

Et Phœbus répète la phrase qu'il a déjà dite à beaucoup de femmes avant Esmeralda :

- Je n'ai jamais aimé personne avant toi.

Esmeralda le croit et, tremblante comme un oiseau, elle tombe dans ses bras.

Elle voit alors la fenêtre s'ouvrir. Une forme noire entre silencieusement. Elle pousse un cri et ferme les yeux. La forme noire lève un grand couteau et frappe dans le dos Phœbus, qui tombe par terre sur Esmeralda. Du sang coule sur la jolie robe blanche de la bohémienne. Frollo, l'ombre noire, saute par la fenêtre et disparaît dans la nuit.

Le lendemain matin, la vieille Falourdel ouvre la porte de la chambre et voit les corps de la jeune fille et du beau capitaine couchés l'un à côté de l'autre.

- Au secours ! au meurtre ! à l'aide !

Les gendarmes arrivent. Deux d'entre eux emmènent le corps de Phœbus. Les autres réveillent Esmeralda en la secouant très fort. La belle enfant semble perdue au fond d'une forêt. Elle ne comprend pas les paroles que lui dit le chef des gendarmes :

- Sorcière ! Au nom du roi, je t'arrête pour avoir tué le capitaine Phœbus de Châteaupers.

Au nom de Phœbus, Esmeralda a l'air de se réveiller d'un mauvais rêve.

- Phœbus, mon Phœbus, où es-tu ?

- Allons, pas d'histoire, répond le chef des gendarmes. Tu as tué notre capitaine...

- Non, je ne peux pas avoir tué Phœbus puisque je l'aime.

Les gendarmes la saisissent par les bras et l'emmènent jusqu'à la prison du Palais de justice. C'est maintenant au bourreau de s'occuper d'elle...

La question

Depuis plus d'un mois, la Cour des Miracles n'a plus de nouvelles d'Esmeralda et de sa chèvre. Gringoire, qui est quand même son mari, est très inquiet. Un jour qu'il se promène devant le Palais de justice, il voit une grande foule qui essaie d'entrer. Il demande ce qui se passe.

- On juge une sorcière qui, avec sa chèvre, a tué un capitaine des gendarmes, lui répond un bourgeois*.

Gringoire entre dans le Palais de justice. Au-dessus des têtes, il voit Esmeralda, les mains attachées derrière le dos. Il voit aussi les juges. Il réussit à s'approcher. Une vieille femme parle aux juges. C'est la Falourdel :

– ... Alors, j'ai vu le diable noir qui s'en allait en courant dans la rue. Quand je suis montée dans la chambre, j'ai vu le beau capitaine tout plein de sang et, à côté, cette sorcière qui faisait semblant d'être morte. Et il y avait la bête, là, la chèvre qui dansait comme le diable... Le lendemain, la belle pièce d'or que m'avait donnée le capitaine était devenue une feuille morte...

– Oh, dit le public, une feuille morte ! Le diable noir...

– Nous allons interroger la chèvre, dit un des juges. Faites-la entrer.

Un gendarme tire dans la salle la petite Djali.

– Il paraît que tu sais dire l'heure, dit le juge à la chèvre. Quelle heure est-il ?

Djali frappe sept fois. Il est bien sept heures.

– Tu es un animal du diable. Et toi, sorcière Esmeralda, reconnais-tu avoir tué le capitaine Phœbus de Châteaupers ?

– Mon Phœbus ? dit Esmeralda, il est donc mort ?

– Pas encore. Mais il va bientôt mourir.

– Oh, mon Phœbus.

– Réponds ! Qui l'a tué ? Toi ou le diable noir ?

– Moi, tuer Phœbus ? Oh non, je l'aime !

– Emmenez-la à la question.

Deux gendarmes saisissent la jeune fille et la sortent de la salle.

En bas des escaliers, dans une cave, il y a de nombreux instruments en fer. Les uns sont chauffés dans le feu, les autres placés autour d'un lit. Maître Jacques, le bourreau, et ses deux aides attendent. Ils mettent Esmeralda sur le lit et l'attachent.

Le bourreau sert très fort l'instrument de fer qui entoure le pied d'Esmeralda.

– Mademoiselle, dit le bourreau, soyez gentille, dites-nous tout de suite que vous avez tué Phœbus. Je n'ai pas envie de faire mal à une aussi jolie personne.

– Non, non, je ne l'ai pas tué.

– Alors, tant pis !

Le bourreau prend un cercle de fer et le met autour du pied de la jeune fille. Il serre très fort. Elle pousse un cri.

– Alors, mademoiselle ?

– Oui, je dirai tout ce que vous voulez, mais arrêtez !

– Vous savez que si vous dites que vous avez tué Phœbus, je serai obligé de vous pendre [1].

---

1. Pendre : tuer quelqu'un en lui attachant une corde autour du cou et en le jetant dans le vide (une pendaison, un pendu).

– Oui, tuez-moi, cela n'a pas d'importance, puisque mon Phœbus aussi va mourir. Mais vite, s'il vous plaît !

– Ce n'est pas moi qui décide, mais le roi lui-même.

On remonte Esmeralda dans la grande salle. Elle répète au juge qu'elle a tué Phœbus. C'est fini. Elle sera pendue le jour où le roi Louis XI le décidera. Les Parisiens rentrent chez eux en se racontant l'histoire. Gringoire, lui, se demande comment il pourrait sauver sa pauvre femme. Il décide d'aller voir les maîtres de la Cour des Miracles, le duc d'Égypte et le roi des truands. Les gendarmes emmènent Esmeralda dans sa prison. Elle dit d'une voix basse et douce :

– Oh, c'est un mauvais rêve !

Vivant !

Un mois s'est encore passé. Esmeralda pleure dans sa prison sans fenêtre, les pieds dans l'eau sale et froide. Un homme entre : c'est l'archidiacre Claude Frollo.

Malgré sa faiblesse, Esmeralda se lève et dit :

– Vous ! Vous qui avez tué mon Phœbus, vous qui me suivez partout, vous qui me rendez si malheureuse, que me voulez-vous encore ! J'étais si heureuse avant ! Pourquoi ?

– Je vais vous le dire. Je vais vous dire une chose que je n'ai jamais dite à personne avant vous : je vous aime. Oui, je vous aime depuis que je vous ai vue danser devant Notre-Dame. Je ne peux plus travailler, je ne crois plus en Dieu. J'ai d'abord cherché à vous enlever pour vous tuer.

Mais ce Phœbus du diable est arrivé. Maintenant, je suis venu pour vous sauver. Car demain, le bourreau viendra vous chercher. Je vous emmènerai vers des pays pleins de soleil, d'arbres et d'oiseaux, et vous aussi vous m'aimerez.

- Et mon Phœbus ?

- Ton Phœbus est mort. Viens !

- Ah, jamais ! Puisque Phœbus est mort, je suis heureuse de mourir aussi. Va-t'en, va-t'en !

Et, avec une grande force, Esmeralda pousse Frollo dehors.

Frollo se trompait : Phœbus n'était pas mort.

Le lendemain, on peut le voir à la fenêtre de la maison des Gondelaurier, à côté de Fleur-de-Lys. Ils se tiennent par la main.

Il a eu de la chance. Le couteau de Frollo était passé tout près du cœur. Le jeune capitaine est solide. Il a été guéri au bout de quinze jours. Mais il a préféré quitter Paris quelque temps. Il n'avait pas envie que l'on parle de lui à propos de cette affaire. Après tout, il est noble, et Esmeralda n'est qu'une bohémienne. Pensant que tout cela était maintenant oublié, il est revenu à Paris. Sa maladie l'a fait réfléchir : il a décidé de se marier avec sa cousine Fleur-de-Lys. Elle est riche, elle est jolie. Il est temps que le capitaine arrête de faire des bêtises. Et puis, une fois marié, il en trouvera d'autres, des Esmeralda !

- Eh bien, belle cousine, pourquoi y a-t-il tant de monde sur la place aujourd'hui ?

- Oh, mon beau cousin, répond Fleur-de-Lys toute rouge de sentir la main de Phœbus dans la sienne, aujourd'hui on pend une sorcière. Mais vous la connaissez !

- Je ne connais pas de sorcière !

- Mais si, voyons, dit Fleur-de-Lys qui est encore jalouse, la bohémienne avec sa chèvre...

Phœbus devient tout blanc. Il essaie de rentrer dans la maison. Fleur-de-Lys le retient. À ce moment, une voiture arrive sur la place et s'approche de l'endroit où on doit pendre la sorcière. Esmeralda est debout, entourée par des prêtres et des soldats. Le bourreau et ses aides marchent devant. Un prêtre se penche à l'oreille de la bohémienne :

- Il est encore temps ! Si je dis un mot, tu es libre.

- Non, répond-elle. Phœbus est mort, je mourrai aussi.

- Mort, Phœbus ? Regarde !

Et Frollo, car c'est lui, montre la fenêtre. Esmeralda pousse un cri :

- Phœbus ! Vivant !

Sur la terrasse, le capitaine serre Fleur-de-Lys dans ses bras.

La bohémienne tombe évanouie[1], dans la voiture.

À ce moment, il se passe une chose bizarre. Du haut de la cathédrale, une forme est descendue le long des murs, à grande vitesse, comme une goutte d'eau qui coule contre une fenêtre. C'est Quasimodo. Il saute dans la voiture et, avant que les gendarmes aient pu faire un geste, il prend Esmeralda dans ses bras, court jusqu'à la porte de la cathédrale en criant :

- Asile[2] ! Asile !

En ce temps-là, quand un criminel entrait dans une église, personne n'avait le droit d'y entrer à son tour pour le reprendre. Mais s'il en sortait...

---

1. S'évanouir : ne plus entendre, ne plus voir, ne plus sentir, comme dans le sommeil.
2. Asile : endroit où on est protégé, où on ne risque rien.

Accompagnée du bourreau et d'un prêtre, la jeune fille est sur le point d'être pendue.

Du haut de la cathédrale, une forme descend à grande vitesse : c'est Quasimodo.

Tous les Parisiens venus sur la place pour voir pendre Esmeralda trouvent le spectacle tellement beau qu'à leur tour ils crient :

- Asile ! Asile !

Les portes se referment sur Esmeralda et Quasimodo.

La plus belle et le plus laid

Esmeralda se réveille dans une petite pièce, tout en haut d'une des tours de la cathédrale. Quand Quasimodo, cet être bossu, borgne et boiteux[1], l'a enlevée aux gendarmes, elle a cru que c'était la mort qui venait la chercher. Après, elle ne s'est plus souvenue de rien.

À côté du lit où Quasimodo l'a couchée, elle voit une assiette de soupe et un morceau de pain. Sans se demander qui les a apportés, elle se dit qu'elle a faim :

« J'ai faim, donc je suis vivante. »

Et elle mange. Puis elle regarde par la fenêtre. Elle voit deux horribles animaux qui la regarde. Elle pousse un cri de peur. Puis elle sourit : ce sont deux statues qui servent de gouttières[2].

La porte s'ouvre doucement. Quasimodo entre. En voyant ce visage qui n'a qu'un seul œil et pas de dents, Esmeralda crie à nouveau.

- N'ayez pas peur, dit Quasimodo. Je sais, je suis aussi laid que vous êtes belle. Mais je suis votre ami. Je vous ai sauvée. Ici, on ne peut plus vous faire de mal. Mais il ne faut pas que vous sortiez. Promenez-vous où vous voulez dans

---

1. Boiteux : qui a une jambe plus courte que l'autre.
2. Gouttière : objet mis sur les toits qui sert à faire passer l'eau de pluie.

– Fermez les yeux si vous ne voulez pas me voir.

Notre-Dame, mais la nuit seulement. Je viendrai vous apporter à manger. Fermez les yeux si vous ne voulez pas me voir.

Esmeralda essaie de sourire. Mais Quasimodo lui tourne le dos et va sortir. Elle dit :

– Pourquoi m'avez-vous sauvée ?

Il ne répond pas. Alors elle se lève et lui prend le bras. Il la regarde. Elle répète sa question.

– Je suis sourd[1], dit-il. Oh, je sais ce que vous pensez. Vous vous dites : « Il ne lui manquait plus que cela ! » Oui, je ne suis ni tout à fait un homme ni tout à fait un animal. Ce que j'aimerais être, c'est une de ces statues de pierre.

– Pauvre homme, dit la bohémienne avec gentillesse. Pourquoi m'avez-vous sauvée ?

---

1. Sourd : qui n'entend pas.

– Je comprends ce que vous voulez dire car je lis les mots sur votre bouche. Je vais vous répondre. Un jour, on m'a demandé de vous enlever dans la rue. Les gendarmes m'ont arrêté. On m'a jeté des pierres. Vous à qui j'avais fait du mal, vous seule m'avez apporté un peu d'eau quand j'avais soif. Pour cela, je mourrais tout de suite, si vous me le demandez.

– Pauvre homme, répète Esmeralda.

Mais Quasimodo est déjà parti. Esmeralda s'assoit. Soudain, elle sent une chose vivante qui la touche. C'est Djali, la petite chèvre ! Elle a réussi à venir jusqu'ici.

– Oh, ma Djali, ma sœur, tu es là. Ah, que je pourrais être heureuse entre toi et ce brave homme qui m'a sauvée. Mais il me manque quelqu'un, il me manque mon Phœbus. Oh, qui était cette femme à côté de lui ? Sa sœur, c'était sa sœur. J'en suis sûre. Il m'a dit qu'il n'aimait que moi. Mon Phœbus !

Les jours passent. D'abord, Quasimodo apporte chaque matin et chaque soir le repas d'Esmeralda. Il ne lui dit rien, mais il voit bien qu'elle a quand même peur de lui, de son corps et de son visage horrible. Un jour, il lui dit :

– Je vois bien que vous avez du mal à me regarder. Je ne viendrai donc que la nuit, quand vous dormirez, pour vous donner votre repas. Mais prenez ce sifflet[1]. C'est le seul bruit que je peux entendre. Si vous avez besoin de moi, soufflez dedans. Elle essaie de protester, mais il est déjà parti.

Une nuit où elle ne peut pas dormir, car elle pense à Phœbus, elle entend un bruit derrière la porte. Elle ouvre. C'est Quasimodo qui dort là, sur le sol froid.

---

1. Sifflet : petit objet qui fait un grand bruit quand on souffle dedans.

Les hommes d'Esmeralda

Le lendemain soir, elle est à la fenêtre. Elle aime bien voir tout ce monde en bas sur la place, et tous les toits de Paris qui deviennent rouges quand le soleil se couche. Vue du haut des tours de Notre-Dame, la grande ville semble très calme. On n'entend aucun bruit.

Soudain, elle voit un homme à cheval qui s'arrête devant une maison. Phœbus ! Elle appelle :

- Phœbus, mon amour, je suis là, viens me chercher !

Mais, bien sûr, Phœbus n'entend pas. Il entre dans la maison de Fleur-de-Lys.

- Phœbus, oh ! mon Phœbus !

- Voulez-vous que j'aille le chercher ?

C'est Quasimodo qui a dit cela.

- Oui, dit-elle, oui, va me le chercher...

Il part en courant. Deux minutes après, il est devant la porte de la maison. Beaucoup de gens entrent. Quelques heures plus tard, dans la nuit, tous en sortent. Mais Phœbus ne vient toujours pas. Quasimodo attend presque toute la nuit. Enfin, alors que le ciel devient clair, le capitaine des gendarmes sort de la maison de Fleur-de-Lys et monte sur son cheval. Quasimodo attrape le cheval.

- Que me veux-tu, toi ? dit Phœbus. Mais je te connais, méchant diable...

- Une femme m'a demandé de venir vous chercher.

- Ah, une femme ! Merci, j'ai eu ce qu'il faut.

- C'est la bohémienne.

Phœbus devient tout blanc. Il a fini par croire qu'Esmeralda était bien une sorcière et que c'est elle qui avait voulu le tuer. Il envoie son pied dans le visage du sonneur et part à toute vitesse. Cette fois, il en est sûr : il se mariera avec Fleur-de-Lys. Finie la taverne, finies les filles qui sont toutes des sorcières amies du diable !

Quasimodo se demande ce qu'il va dire à Esmeralda. Il sait que s'il lui raconte la vérité, elle pourrait bien se tuer en sautant du haut de Notre-Dame. Il remonte dans la chambre. Elle l'attend. Elle n'a pas dormi de la nuit.

– Où est Phœbus ? demande-t-elle.

– Je n'ai pas pu le voir, répond-il, il est peut-être parti par une autre porte...

– Ah, va-t'en, va-t'en ! Tu ne m'aimes pas, Quasimodo.

Elle se met à pleurer sans voir qu'il pleure, lui aussi.

Une autre personne a vu tout cela, depuis le moment où Esmeralda a appelé Phœbus par la fenêtre, c'est Claude Frollo.

Le jour où Esmeralda allait être pendue, il lui avait montré Phœbus avec Fleur-de-Lys. Puis il était parti s'enfermer dans son appartement. Il n'avait donc pas vu Quasimodo sauver la jeune fille. Une nuit, il avait aperçu une forme blanche se promener sur le toit de la cathédrale, avec une petite chèvre. Il avait alors cru que c'était Esmeralda revenue de chez les morts pour lui faire peur. Depuis, il ne sort plus de sa chambre. Il ne travaille plus. Il ne pense plus qu'à elle. Jusqu'à hier soir, quand il a entendu la voix de la bohémienne qui criait : « Phœbus, Phœbus ! » Elle est donc vivante. Comment ? Il l'a compris enfin, quand il a vu Quasimodo parler avec Phœbus.

Toute la journée, Esmeralda pleure en caressant sa chèvre. Elle s'endort enfin. Mais soudain, elle se réveille en sentant qu'on la touche. Elle crie :

– Au secours ! Au secours !

Une nuit, Frollo a aperçu une forme blanche. Il a cru qu'Esmeralda était revenue de chez les morts.

– Personne ne t'entendra. Tu sais bien que ton Quasimodo est sourd. Ah, je t'aime, je t'aime !

Elle reconnaît la voix de Frollo. Il la tient très fort. Elle essaie de se défendre. Elle prend le sifflet que lui a laissé Quasimodo. Elle le met à sa bouche et souffle dedans.

Aussitôt, le bossu arrive, prend Frollo par son vêtement et le jette hors de la chambre. Devant la porte, il saute sur lui et lève un grand couteau. À ce moment, la lumière de la lune éclaire les deux hommes. Quasimodo reconnaît son maître et se met à genoux devant lui. Frollo se relève. Esmeralda sort à son tour. Elle ne comprend pas ce qui se passe, mais elle voit le couteau. Elle le ramasse et dit à Frollo :

– Ne m'approche plus jamais, sinon je me tuerai. Va-t'en !

Comme il ne sait plus quoi faire, Frollo s'en va. Quasimodo se relève et dit à Esmeralda :

– Reprenez votre sifflet. Peut-être que la prochaine fois, vous m'appellerez pour autre chose que pour vous sauver la vie.

Esmeralda prend la main de Quasimodo et la serre très fort.

Le lendemain, Claude Frollo marche dans les rues de Paris. Il cherche quelqu'un. Enfin, il voit un homme vêtu d'un habit rouge et jaune, assis devant la Seine et qui écrit.

– Bonjour, Gringoire.

Gringoire se retourne. Il ne reconnaît pas tout de suite son maître Frollo, car celui-ci a beaucoup vieilli en deux mois : les quelques cheveux qui lui restent sont tout blancs.

– Bonjour, maître Frollo, dit-il enfin. Vous allez être content, je recommence à écrire sur la religion.

– Très bien, très bien. Et... Tu es toujours marié ?

– Marié, moi ?

– Oui, avec la bohémienne, comment s'appelle-t-elle ?

– Esmeralda, mon maître, vous le savez bien, répond Gringoire. Mais elle n'a jamais été vraiment ma femme.

– Elle t'a sauvé la vie, non ? Aujourd'hui, elle est en danger. J'ai appris que les gendarmes allaient entrer dans Notre-Dame. Ils viendront dans trois jours pour la faire pendre. Toi seul peux la sauver. Tu vas venir dans la cathédrale. Tu lui donneras tes vêtements. Elle pourra sortir sans qu'on la reconnaisse.

– Et c'est moi qu'on pendra. Merci ! J'aime trop la vie.

– Je te rappelle qu'elle t'a sauvé.

– J'ai une autre idée. Voilà ce que je vais faire...

Et Gringoire parle tout bas à l'oreille de Frollo.

– Ce soir ? dit Frollo quand Gringoire a fini de parler.

– Si la Cour des Miracles veut bien...

Dès que Frollo est parti, Gringoire se dit à lui-même :

« Un homme comme celui-là, quand il est amoureux, c'est pire que le diable. »

La Cour des Miracles

Dans la Cour des Miracles, la grande salle de la taverne n'a jamais reçu autant de monde. Et quel monde ! Autour du duc d'Égypte et du roi des truands, tout ce que Paris a de voleurs, d'assassins, de mendiants, de filles de mauvaise vie est là, avec des épées, des couteaux, des bâtons...

Gringoire est monté sur une chaise, mais, cette fois-ci, ce n'est pas pour y être pendu.

– Écoutez-moi, vous tous, nobles truands, beaux Égyptiens, courageux bohémiens. Esmeralda, la belle Esmeralda, notre sœur, ma femme, ne restera pas longtemps dans la cathédrale. Les gendarmes du roi Louis XI, malgré la loi de Dieu, vont venir la prendre demain pour la faire pendre par le bourreau. Nous seuls pouvons la sauver...

– Bravo, Gringoire, grand écrivain, tu parles mieux que tu écris, dit une voix au fond de la salle.

Tout le monde se retourne. C'est Jehan l'écolier, une bouteille de vin à la main, une fille sur les genoux.

– Oui, bravo, continue-t-il. Et moi, Jehan Frollo, frère de l'archidiacre, je vous conduirai à l'endroit où est cachée la belle Esmeralda. J'en profiterai pour demander encore un peu d'argent à mon frère.

Toute la Cour des Miracles se met à rire. Le duc d'Égypte monte à son tour sur la chaise :

– Nous partirons à minuit, de plusieurs endroits de Paris. Nous nous retrouverons devant les portes de Notre-Dame. Pour nous reconnaître, nous nous dirons le mot : « Djali ». Toute personne qui ne saura pas ce mot, « Djali », devra être tuée. À minuit, mes amis, à minuit. Djali !

Et toute la Cour des Miracles répond :

– Djali, Djali !

Gringoire sort de la taverne sans être vu par personne. Il court jusque derrière la cathédrale. Devant une petite porte, Frollo l'attend.

– Alors ? demande l'archidiacre.

– Tout va bien. Ils seront là à minuit.

– Voici la clé, dit Frollo. Vous savez où Esmeralda se trouve ? Vous allez la chercher, je vous attendrai place de Grève, devant la cave de la Sachette. Une fois que la bohémienne sera avec moi, vous partirez. Moi seul peux la sauver.

Tout ce que Paris a de voleurs, de mendiants, d'assassins, se retrouve dans la Cour des Miracles, autour du roi des truands.

- Merci, mon maître. Et moi, je pourrai enfin quitter la Cour des Miracles. Le roi m'a demandé une grande pièce de théâtre pour le mariage de son fils. Je vais pouvoir faire ce que je veux. Ah, j'oubliais ! Si vous rencontrez quelqu'un de la Cour des Miracles, dites-lui « Djali », et tout ira bien.

- « Djali ! » Toi, fais attention à Quasimodo. Ce chien est prêt à tuer toute personne qui s'approchera d'Esmeralda. À tout à l'heure, Gringoire.

Gringoire entre dans la cathédrale par la petite porte. Il attend l'heure, dans le noir.

La guerre de Notre-Dame

Là-haut, sur la grande terrasse entre les deux tours de Notre-Dame, Quasimodo regarde la nuit sur Paris. Pas un bruit, pas une lumière... Il sait qu'Esmeralda dort, sa chèvre entre les bras. Et cela le rend heureux. Lui, le bossu, le borgne, le boiteux, le sourd qui n'a jamais connu de femme, même pas sa mère, qui n'a jamais connu l'amour, même pas celui de Frollo qu'il respecte comme un père, il est heureux. Esmeralda est vivante, Esmeralda va mieux.

Soudain, alors qu'il est juste minuit, arrivent, en bas, de toutes les rues, une lumière, puis une autre, puis cent, puis mille. De son œil unique, il voit que ce sont des hommes, que ces hommes portent des armes. Il comprend : on vient lui voler Esmeralda. Il descend fermer les portes, remonte, entasse des pierres, allume un feu sur lequel il fait chauffer de l'huile. Il est prêt. Il attend.

L'armée de la Cour des Miracles se retrouve devant la grande porte de la cathédrale. Les hommes essaient de l'ouvrir en la cassant. Mais, soudain, des pierres tombent du ciel comme de la pluie et les tuent. D'autres prennent leur place. Alors, une rivière d'huile chaude les brûle. Au milieu des cris de douleur, on entend une voix qui dit :

– Mais c'est Quasimodo, ce beau Quasimodo, dont tout le monde dit qu'il serait mon neveu. Ah, mon frère l'archidiacre a fait là un bel enfant. Je voudrais bien voir la tête de ma belle-sœur ! Eh ! Quasimodo, c'est Jehan qui te parle. Laisse-moi entrer. Une jolie femme m'attend dans ta maison. C'est vrai, j'oubliais ! Il est sourd... Je monte !

Et, au milieu des cris, Jehan monte le long du mur en se tenant à une pierre ou à une statue. Quand il est en haut, sur la terrasse, il sort son épée et court vers Quasimodo. L'arme transperce le bras du sonneur. Mais, comme s'il n'avait rien senti, Quasimodo attrape Jehan par son vêtement et le jette dans le vide. Le pauvre écolier tombe sur quelques voleurs et s'écrase sur le sol, mort. Quasimodo pousse un cri qui ressemble à celui d'un animal sauvage. L'armée de la Cour des Miracles recule de peur. Puis ils avancent à nouveau. De nouvelles pierres et de l'huile en tuent encore beaucoup.

Mais là-haut, Quasimodo n'a plus rien à leur jeter. On le voit courir partout en continuant de crier.

Le duc d'Égypte dit alors à ses soldats :

- Il est perdu ! Avancez, avancez !

Et, pour montrer l'exemple, il prend une torche[1] et met le feu à la grande porte.

À ce moment, on entend un grand bruit de fer, d'armes et de chevaux. Ce sont les soldats du roi et les gendarmes qui arrivent pour défendre la cathédrale. À leur tête, Tristan-l'Hermite, l'ami du roi Louis XI, le chef de son armée. À côté de lui, Phœbus de Châteaupers, capitaine des gendarmes.

Les voleurs et les assassins de la Cour des Miracles se défendent avec courage. Mais les soldats les tuent presque tous. Les autres partent en courant dans la nuit. Devant la porte qui brûle, il ne reste que le roi des truands et le duc d'Égypte, l'épée à la main, prêts à mourir.

- Laissez-les-moi, crie Phœbus.

Il descend de cheval et s'avance seul vers les deux hommes. D'un seul coup d'épée, il leur coupe la tête.

---

1. Torche : bout de bois en feu qui servait de lampe.

Quasimodo comprend : on vient lui voler Esmeralda. Il descend fermer les portes.

- Maintenant, dit Tristan-l'Hermite, allons chercher la sorcière. Le roi a dit : « Tuez le peuple pour ce qu'il veut faire. Mais faites ce qu'il veut. »

Les soldats entrent. Phœbus dit à Tristan :

- Puis-je m'en aller maintenant ? Chercher cette fille, ce n'est pas mon travail.

- Va, brave capitaine. Tu es libre. Je parlerai de toi au roi. Bravo !

Phœbus part à toute vitesse. Il n'a pas très envie qu'Esmeralda, cette sorcière, le voie et lui dise des mots d'amour devant les gendarmes... Surtout devant l'ami du roi.

Quasimodo, voyant que les soldats ont gagné, part en courant vers la chambre d'Esmeralda pour lui dire qu'elle est sauvée. Le lit de la bohémienne est vide.

On entend un grand bruit d'armes et de chevaux : les soldats du roi et les gendarmes viennent défendre la cathédrale.

La mère et la fille

Quand il a entendu le bruit que fait la Cour des Miracles devant Notre-Dame, Gringoire a monté les escaliers qui vont à la chambre d'Esmeralda. Il la réveille.

- Gringoire, mon frère, mon ami, dit-elle en pleurant, te voilà enfin. Oh, j'ai trouvé un autre ami ici, mais il me fait peur... Quasimodo.

Cependant Djali, la petite chèvre, danse, toute contente de voir son ami Gringoire.

- Il faut partir, dit Gringoire. Des hommes viennent te chercher pour te tuer. Viens vite.

- Et Quasimodo ?

- Il s'occupe d'eux, ne t'inquiète pas.

Gringoire, Esmeralda et Djali redescendent. Ils sortent par une petite porte. Ils traversent la Seine et vont jusqu'à la place de Grève. Devant la fenêtre de la Sachette, un homme noir, caché sous son manteau, les attend.

- Je te laisse ici, Esmeralda, va avec cet homme. Il saura où te cacher. Avec lui, tu ne risques rien. N'aie pas peur. Moi, j'emmène Djali. Je te la ramènerai quand le danger sera passé.

Esmeralda n'a pas le temps de répondre. Gringoire et Djali sont déjà loin.

L'homme en noir s'approche et lui prend la main.

- Vous ! crie Esmeralda ! Vous, le prêtre, l'homme qui a fait tout mon malheur ! Non, non !

- Viens, il faut partir si tu veux rester en vie.

- Ah non, je préfère mourir. Je n'irai pas avec vous.

Elle sort le couteau qu'elle avait pris à Quasimodo. Mais, soudain, elle le lâche. Quelqu'un vient de lui prendre l'autre bras avec force : la Sachette est sortie de sa cave.

- Je te tiens, fille du diable, bohémienne, mangeuse d'enfants, dit la recluse*. Viens, viens ! Tu aurais le même âge que ma fille si elle n'avait pas été mangée par d'autres bohémiens. Eh bien je te tuerai comme ils ont tué ma petite Agnès[1].

Et, avec une force extraordinaire, la Sachette tire Esmeralda dans la pièce sombre où elle vit depuis seize ans.

Frollo ne peut rien faire. Il crie :

- Laisse cette fille, la Sachette, elle est à moi !

Mais il voit arriver les gendarmes et les soldats de Bernard-l'Hermite. Il prend peur et court vers Notre-Dame.

La Sachette s'approche d'Esmeralda qui est restée par terre dans la chambre.

- Enfin, te voilà, fille du diable. Mais qu'est-ce que c'est que cela ?

La robe d'Esmeralda s'est déchirée. La chaussure rose qu'elle a toujours autour du cou est sortie de son vêtement.

- Non, ne me prenez pas cela, dit la jeune fille en pleurant. Une vieille bohémienne, qui m'a servi de mère, m'a dit que si je la perdais je ne retrouverais jamais mes parents.

La Sachette lui montre alors une autre petite chaussure rose cachée dans un coin de la chambre.

- Regarde ! C'est la même ! Tu es ma fille, tu es Agnès !

- Oh, vous, ma mère, je vous retrouve ?

La Sachette semble soudain rajeunir de dix ans, elle redevient belle. Les deux femmes se jettent

---

1. Voir *Notre-Dame de Paris*, tome I, *Quasimodo*.

dans les bras l'une de l'autre et pleurent des larmes de joie. Quand elles sont calmées, la Sachette dit à sa fille :

– Raconte-moi ta vie, as-tu un mari ?

– Phœbus, dit Esmeralda à voix basse.

Soudain, une voix forte crie au-dehors :

– Sors de là, Esmeralda, sorcière, tu es prise !

Ce sont les gendarmes. L'un d'eux descend dans la pièce :

– Allez, ne fais pas l'idiote, viens.

– Jamais, jamais, crie la Sachette. C'est ma fille, monsieur le gendarme, c'est ma fille, laissez-la-moi !

– Pas d'histoire, la Sachette. Cette sorcière sera pendue.

– Pendue, ma fille ? Plutôt mourir pour elle.

Mais le gendarme est trop fort. D'un geste, il fait tomber la pauvre femme. Il prend Esmeralda par les cheveux et la tire loin de sa mère.

– Ma fille, ne m'enlevez pas ma fille ! Agnès, reviens, tu as oublié tes chaussures. Tu vas avoir mal aux pieds.

Et elle se met à rire, un rire qui ne s'arrête pas. La Sachette est devenue folle.

La fin de Frollo

Le lendemain, une voiture transporte Esmeralda jusqu'à la potence[1] où on l'a emmenée plusieurs semaines avant. Mais cette fois, il y a beaucoup plus de gendarmes.

Là-haut, Quasimodo sait qu'il ne pourra plus rien faire pour elle. Claude Frollo regarde aussi

1. Potence : appareil de bois sur lequel on pend les gens.

du haut de Notre-Dame. Il n'a pas vu son sonneur derrière lui.

Le bourreau fait monter Esmeralda jusqu'à la potence. La jeune fille n'a jamais été aussi belle. Tous les Parisiens qui regardent ce spectacle sont silencieux. On n'entend qu'un cri, celui de la Sachette :

- Agnès, reviens, tu as oublié tes chaussures, reviens !

Mais cela ne fait rire personne. Enfin, le bourreau passe la corde autour du cou d'Esmeralda et appuie sur ses épaules. Les pieds nus de la jeune fille ne touchent plus le sol. Elle ne bouge plus. Esmeralda est morte.

Là-haut, sur les tours de Notre-Dame, Claude Frollo crie :

- Enfin, je suis libre. Libre !

Soudain il sent deux mains qui le prennent et le jettent du haut de la cathédrale. Il tombe comme une pierre. Son vêtement s'accroche à une statue qui sert de gouttière. Il essaie de bouger, d'attraper le mur. Mais son vêtement se déchire un peu. En dessous de lui, il voit un toit en pente. En bas, un homme qui semble tout petit le montre du doigt. Tout le monde lève la tête. Un grand cri monte de la place. Le vêtement se déchire un peu plus.

- Mon Dieu, je vais mourir, dit Frollo.

Et il tombe. On dirait un grand oiseau noir. Il glisse le long du toit en pente. Quand son corps frappe le sol avec le bruit d'un fruit mûr, Claude Frollo est déjà mort.

Là-haut, Quasimodo, assis sur le mur, ressemble aux autres statues. Mais c'est une statue qui pleure.

Vers le soir de cette journée, quand les gendarmes sont venus déposer dans sa chambre le corps cassé de l'archidiacre, Quasimodo a disparu.

Les Parisiens ont longtemps cru que Frollo avait vendu son âme au diable, c'est-à-dire à Quasimodo. Et personne n'a jamais prié pour l'archidiacre de Notre-Dame de Paris.

Pierre Gringoire, lui, est devenu un homme de théâtre célèbre. Quand il passe avec sa chèvre, dans ses beaux vêtements, les gens enlèvent leur chapeau et l'appellent « maître ».

Phœbus de Châteaupers, lui, a mal fini : il s'est marié.

Claude Frollo regarde aussi, du haut de Notre-Dame. Il n'a pas vu son sonneur derrière lui.

Le mariage de Quasimodo

On n'a jamais su ce qu'était devenu Quasimodo. Deux ans ont passé. Un jour, des ouvriers sont descendus dans la cave de Montfaucon, là où on met tous les pendus. Ils venaient chercher le corps d'un homme politique que Louis XI avait fait pendre. Louis XI était mort un an après les événements que nous avons racontés. Et son fils, Charles VIII, voulait que le corps de cet homme soit enterré dans un endroit chrétien*.

Au milieu de tous ces morts, les ouvriers ont vu deux squelettes[1] qui se tenaient de façon bizarre. L'un des deux était une femme. Il lui restait des morceaux de robe blanche. L'autre squelette la tenait serrée dans ses bras. Son dos n'était pas droit et il avait une jambe plus courte que l'autre. Il n'avait pas été pendu. Quand on a essayé de les séparer, le squelette de l'homme est tombé en poussière.

---

1. Squelette : ensemble des os du corps humain.

Dans la terrible cave de Montfaucon, Quasimodo est allé retrouver Esmeralda, morte, dans sa robe blanche de condamnée.

Mots et expressions

Paris au Moyen Âge

Alchimie, *f.* : voir **alchimiste**.

Alchimiste : personne qui cherchait à transformer n'importe quel métal en or *(alchimie)*.

Bohémiens, bohémiennes : peuple venu des Indes en Europe à partir du Xe siècle. On les appelait Bohémiens (du nom de l'ancienne Tchécoslovaquie), ou Égyptiens car on croyait aussi qu'ils venaient d'Égypte, Tziganes ou Zingari (de la Hongrie). Ils ne restaient jamais longtemps au même endroit.

Bourgeois, bourgeoise : habitant des villes, souvent commerçant et riche.

Bourreau, *m.* : personne chargée de torturer (voir ce mot) et de tuer les criminels.

Bourse, *f.* : petit sac attaché à la ceinture dans lequel on mettait son argent.

Capitaine, *m.* : chef dans une armée ou dans la police.

Écolier, *m.* : au Moyen Âge, on appelait ainsi les étudiants.

Épée, *f.* : long couteau d'acier ; arme avec laquelle les hommes se battaient.

Gendarme , *m.* : sorte de policier.

Imprimerie, *f.* : machine inventée par Gutemberg, qui permet de fabriquer des livres sans copier les textes à la main.

Liard, *m.* : petite monnaie ancienne.

Miracle, *m.* : dans la religion chrétienne, quelque chose d'extraordinaire fait par Dieu ou le Christ (rendre la vue à quelqu'un, réveiller un mort, etc.) La *Cour des Miracles*, à Paris, était l'endroit où vivaient les voleurs, les criminels et les mendiants. La police ne pouvait pas y entrer.

Nobles : personnes qui entouraient le roi et possédaient des terres. Ils avaient beaucoup de droits, ne payaient pas d'impôts, mais pouvaient en demander aux paysans qui vivaient sur leurs terres.

Peste *f.* : maladie qui, au Moyen Âge, tuait un grand nombre de gens. Au début du XVe siècle, la peste noire, ou grande peste, fit plusieurs millions de morts en Europe.

Place de Grève, *f.* : aujourd'hui, à Paris, place de l'Hôtel-de-Ville. C'est là que l'on tuait les condamnés à mort. Mais c'est aussi là qu'attendaient les ouvriers qui cherchaient du travail. On dit encore aujourd'hui que les gens qui arrêtent de travailler pour protester « font la grève ».

Quartier latin, *m.* : l'un des plus anciens quartiers de Paris, autour de la Sorbonne, où les écoliers étudiaient en langue latine.

Question, *f.* : au Moyen Âge, tous les moyens utilisés pour faire souffir un condamné et l'obliger à dire ses crimes (voir **torturer**).

Roue, *f.* : au Moyen Âge, c'était un instrument de torture ; on attachait les criminels sur la roue : pendant que la roue tournait, on frappait le condamné, quelquefois jusqu'à ce qu'il meure.

Sorcier, sorcière : personne qui essaie de découvrir les mystères de la nature pour s'en servir dans un but bon ou mauvais.

Taverne, *f.* : ancien nom des cafés et des restaurants.

Torturer : faire souffrir quelqu'un pour qu'il reconnaisse ses crimes, pour l'obliger à dire la vérité *(torture)*.

Truand, *m.* : homme qui tue, vole et fait d'autres mauvaises actions. Les truands agissent souvent à plusieurs.

La religion

Archevêque, *m.* : chef de tous les prêtres et de toutes les églises d'une grande ville.

Archidiacre, *m.* : prêtre qui est chef d'une cathédrale.

Chrétien, chrétienne : personne de religion catholique qui croit en Jésus-Christ. Au Moyen Âge, c'était la seule religion reconnue en France.

Cloche, *f.* : grand objet de métal creux qui sonne pour donner les heures et le moment de la messe.

Diable, *m.* : ennemi de Dieu. Le diable est la force du mal.

Enfer, *m.* : endroit où vont les morts qui ont mené une mauvaise vie.

Reclus, recluse : personne qui, au Moyen Âge, s'enfermait toute sa vie pour prier Dieu.

Vitrail, *m.* (*pluriel :* **vitraux**) : verre peint, très coloré, que l'on voit dans les églises.

Activités

1. Remplissez la grille à l'aide des définitions.

1. Arme avec laquelle Phœbus tranche la tête du duc d'Égypte.
2. Servait de lampe au Moyen Âge.
3. Grande casserole dans laquelle on fait cuire la nourriture.
4. Petit sac dans lequel on mettait son argent.
5. Homme qui s'enferme toute sa vie pour prier.
6. Échouer.
7. Ensemble des os du corps humain.

2. En prenant un mot de chaque colonne, former dix familles de mots se rapportant au même sujet.

taverne	armée	métal
bourreau	charité	instrument
âme	torture	ivre
alchimiste	vin	cloche
savant	ongle	pauvre
outil	or	soldat
église	corps	**manuscrit**
mendiant	**études**	potence
officier	marteau	doigt
main	vitrail	pensée

1. *savant – études – manuscrit*

....

....

....

....

....

....

....

....

....

....

3. Répondez aux questions suivantes.

1. Que Claude Frollo essaie-t-il de fabriquer ?

2. Pourquoi Claude Frollo travaille-t-il en cachette ?

3. Quel est le surnom donné à Claude Frollo ?

4. Pourquoi Claude Frollo suit-il Jehan et Phœbus quand ils vont à la taverne ?

5. Qui espionne Esmeralda, Quasimodo et Phœbus dans Notre-Dame ?

6. De qui Esmeralda a-t-elle le plus peur, Claude Frollo ou Quasimodo ? Pourquoi ?

7. À quoi sert le sifflet que Quasimodo donne à Esmeralda ?

8. Pierre Gringoire a-t-il de l'affection pour Claude Frollo ?

9. Pourquoi Claude Frollo veut-il sauver Esmeralda ?

10. Quels sont les sentiments de Claude Frollo envers Quasimodo : jalousie, amour, peur, respect, mépris ? Autre ? Lequel ?

11. Pierre Gringoire est-il honnête vis-à-vis d'Esmeralda ?

12. Avec quoi Quasimodo se défend-il contre les truands ?

13. Qui attaque les truands ?

14. Où Pierre Gringoire emmène-t-il Esmeralda et la chèvre Djali ?

15. Qui empêche Esmeralda de tuer Claude Frollo ?

16. Pourquoi Esmeralda est-elle condamnée à mort ?

4. Vrai ou faux ? Soulignez les affirmations fausses dans chaque paragraphe.

Phœbus de Châteaupers est un jeune très riche et de bonne famille. C'est un soldat. Beaucoup de filles sont amoureuses de lui mais il préfère aller dans les tavernes parce qu'il a peur de dire des bêtises devant elles. Sa tante, Madame de Gondelaurier, veut qu'il épouse sa fille Bérangère. Mais lui veut se marier avec Esmeralda. Il trouve la jeune fille très belle ; c'est la seule fille qu'il aime.

Pierre Gringoire est le mari d'Esmeralda mais il ne l'a jamais touchée. Elle l'a sauvé un jour où il allait se noyer. Avant, il était comédien, mais comme il ne gagnait pas beaucoup d'argent, il est devenu bohémien. Il devine que Claude Frollo, son père adoptif, est amoureux d'Esmeralda parce que le prêtre lui dit tout le temps qu'elle ressemble à un ange. À la fin de sa vie, Pierre Gringoire devient un homme de théâtre célèbre.

Claude Frollo est un alchimiste, il essaie de trouver le secret pour fabriquer de l'or. Il paye le bourreau pour qu'il tente de connaître ce secret en torturant les sorciers prisonniers. Il a un frère qui s'appelle Jehan, c'est un très bon élève. Claude Frollo le félicite et lui donne de l'argent. Jehan est ami avec les gens de la Cour des Miracles. Il va avec eux délivrer Esmeralda parce qu'il est amoureux d'elle. Il est tué par Quasimodo.

5. Trouvez la bonne réponse.

Quand Esmeralda pense à Quasimodo, elle éprouve

a. de la haine
b. de la pitié
c. de la colère

Phœbus devine qu'Esmeralda l'aime

a. parce qu'elle rougit en le reconnaissant
b. parce qu'elle le regarde avec un sourire très doux
c. parce qu'elle a appris à sa chèvre à écrire son nom

Esmeralda croit

a. que Phœbus est un menteur
b. que Phœbus va lui retrouver ses parents
c. que Phœbus va l'épouser

Esmeralda dit qu'elle a tué Phœbus

a. parce que le juge lui demande de dire la vérité
b. pour que le bourreau arrête de la torturer
c. parce qu'on a découvert que c'était une sorcière

Quasimodo emmène Esmeralda dans la cathédrale

a. parce que c'est le seul endroit où les gendarmes n'ont pas le droit d'entrer
b. parce qu'il veut lui montrer l'endroit où il habite
c. parce que Claude Frollo le lui a demandé

La Sachette découvre qu'Esmeralda est sa fille
a. parce que la jeune bohémienne a l'âge qu'aurait sa fille
b. parce qu'elle lui ressemble
c. parce qu'elle possède la même petite chaussure rose

Deux ans après la mort d'Esmeralda, qui est encore vivant ?
a. Louis XI
b. Pierre Gringoire
c. Claude Frollo

6. Complétez les phrases avec le nom correct.

Claude Frollo – Esmeralda – Pierre Gringoire – Jehan Frollo – La Sachette – Quasimodo – Phœbus

1. .... ne veut pas se marier tout de suite.

2. .... avait sauvé Esmeralda des mains du sonneur de cloches.

3. .... ramasse les lettres faites en bois.

4. .... lit des livres anciens.

5. .... donne un spectacle avec une chaise et un chat.

6. .... a écrit une pièce de théâtre.

7. .... vole une bourse pleine de pièces d'or.

8. .... a rendez-vous avec Esmeralda dans un hôtel.

9. .... frappe Phœbus d'un coup de couteau.

10. .... se fait arrêter par les gendarmes.

11. .... quitte Paris quelque temps.

12. .... serre Fleur-de-Lys dans ses bras.

13. .... s'évanouit dans une voiture.

14. .... dort par terre derrière une porte.

15. .... donne un coup de pied dans le visage de Quasimodo.

16. .... se sert d'un sifflet.

17. .... se met à genoux devant son maître.

18. .... conduit les truands à Notre-Dame.

19. .... met des pierres en tas.

20. .... sauve Claude Frollo menacé d'un couteau.

21. .... monte le long des murs de Notre-Dame.

22. .... crie au moment où Esmeralda est pendue.

7. Complétez les phrases par « à », « de/d' » ou rien.

1. Phœbus n'a pas du tout envie .... se marier.

2. Les jeunes filles nobles regrettent .... ne pas danser comme Esmeralda.

3. Fleur-de-Lys se met .... pleurer quand Phœbus regarde Esmeralda.

4. L'image d'Esmeralda empêche Claude Frollo .... travailler.

5. Claude Frollo a appris .... lire et .... écrire à Pierre Gringoire.

6. Quasimodo réussira-t-il .... sauver Esmeralda ?

7. Esmeralda préfère .... mourir si elle ne peut pas être avec Phœbus.

8. Quasimodo aimerait .... être une statue de pierre de Notre-Dame.

9. Esmeralda a du mal .... regarder Quasimodo dans les yeux.

10. La vieille femme semble .... rajeunir de dix ans.

11. Claude Frollo cherche .... tuer Phœbus par jalousie.

12. Phœbus décide .... se marier avec Fleur-de-Lys.

8. Barrez les personnes ou les objets qu'on ne s'attend pas à voir à la Cour des Miracles.

des truands – des nobles – des couteaux – des voleurs – des bâtons – des gendarmes – des mendiants – des assassins – des livres – des filles de mauvaise vie – des chevaliers – des épées

9. **Numérotez de 1 à 4 l'ordre de la mort des personnages suivants.**

Esmeralda ....
Le roi des truands et le duc d'Égypte ....
Claude Frollo ....
Jehan Frollo ....

10. **Soulignez les équivalents des expressions suivantes.**

1. Il a la bosse des maths : il déteste les maths / il est excellent en maths.

2. Cette chaise est boiteuse : cette chaise n'est pas stable / cette chaise est en bois.

3. C'est un hôtel borgne : l'hôtel est fréquenté par des gens de mauvaise réputation / l'hôtel est n'a qu'une seule porte d'entrée.

4. Elle dort dans une chambre aveugle : la chambre n'a pas de lampe / la chambre n'a pas de fenêtre.

5. Il l'a frappé comme un sourd : il l'a frappé très violemment / il l'a frappé pour se défendre.

6. Ce n'est pas sorcier : ce n'est pas très surprenant / ce n'est pas difficile.

7. Dans le mot « pierres », il y deux lettres muettes : il y a deux fois la même lettre / il y a deux lettres qu'on ne prononce pas.

Illustration de Brion, gravure de Yon et Perrichon, 1865.

Esmeralda et Quasimodo, *par Luc-Olivier Merson, 1905.*
Exposé à la maison de Victor Hugo, Paris.

Pour aller plus loin

Contexte de l'œuvre

La France à la fin du Moyen Âge

Le Moyen Âge est une période de l'histoire qui va du début du Ve siècle au milieu ou à la fin du XVe. Les idées sont dominées par un dogmatisme religieux, chrétien et biblique. Les classes pauvres sont opprimées par l'Église et par les seigneurs, qui rendent souvent une justice expéditive même si le lien féodal prévoit que le fort protège le faible (en échange d'un service domestique, économique et armé). Les guerres entre les différents seigneurs sont incessantes mais inévitables en l'absence d'arbitre incontesté et reconnu par tous. Les institutions sont inconsistantes, elles se ramènent à des coutumes celtiques, germaniques et romaines. À part la navigation, les moyens de transport sont inexistants. Il existe de multiples monnaies locales ; l'artisanat en ville crée activités, commerce et richesse. Les artistes sont ignorants des règles académiques mais l'architecture, quoique inconfortable, l'orfèvrerie, la miniature et la sculpture atteignent un degré de perfection inégalée. En littérature, certaines œuvres sont taxées de grossièreté, de rudesse et d'incorrection mais la poésie est remarquable.

C'est dans ce contexte que débute le roman *Notre-Dame de Paris* avec le sacre du roi Louis XI à Reims. La guerre de Cent Ans, qui a vu s'affronter les rois de France et d'Angleterre, est terminée depuis quelques années et Louis XI veut apporter au pays la stabilité en luttant contre la noblesse féodale (les seigneurs sont nombreux et rivalisent entre eux.). Il agrandit le royaume, consolide l'autorité royale, centralise la justice et les finances, encourage le développement économique et l'implantation de l'imprimerie et des premières manufactures de soie. Il est réaliste et rusé, pratique une politique sans scrupules. Il est l'un des rois de France qui contribue le plus à l'unité nationale. À sa mort, en 1493, le domaine royal coïncide presque avec la France actuelle.

***La vie en ville au temps de* Notre-Dame de Paris**

La France médiévale est un pays agricole où de nombreux paysans travaillent dur la terre pour nourrir leur famille et leur seigneur. Mais les villes se développent et connaissent une vie très animée. Elles sont entourées de remparts de protection qui croulent sous la poussée de nouveaux habitants venant chercher fortune, chercher asile. Mais les pauvres doivent trouver un gîte à l'extérieur de l'enceinte et s'installent dans les faubourgs, moins chers. À l'intérieur, les maisons des riches sont construites en bois ou quelquefois en pierre, souvent dans le quartier de la cathédrale, elles sont hautes et séparées par des ruelles sombres et étroites, lieux privilégiés des voleurs et des mendiants. À Paris, dans un de ces quartiers populaires se tenait la *Cour des Miracles*. Dans la journée, on risquait d'y être dévalisé ou agressé par « des aveugles, des paralytiques », toutes sortes de « mendiants ». Le soir venu, « les aveugles voyaient clair, les estropiés retrouvaient l'usage de leurs jambes, ... ». Cette Cour des Miracles abritait aussi des soldats déserteurs, des filles de joie, etc. C'est dans ces ruelles

également qu'on trouvait des échoppes, des cabarets, des tavernes. Des quartiers grouillant de monde, peu sûrs, sales mais très vivants.

Les villes sont souvent surpeuplées, les conditions de vie y sont difficiles mais la population sait s'amuser. Les jours d'exécution d'un criminel sont des jours de fête : toute la population se retrouve pour regarder le bourreau planter sa potence et exposer le corps des suppliciés au pilori (seuls les gens du petit peuple sont pendus, les nobles, eux, ont la tête tranchée).

Mais il y a d'autres fêtes plus joyeuses. Chaque jour, une confrérie fête son saint patron : saint Éloi, patron des orfèvres, saint Joseph, patron des charpentiers...

L'Église tolère les carnavals où chacun s'en donne à cœur joie, avant d'entrer en Carême (pour les catholiques, c'est un temps de pénitence de quarante jours allant du mercredi des Cendres au jour de Pâques) et permet les spectacles des jongleurs sur le parvis des cathédrales. Très variés, les programmes des jongleurs vont de la chanson et de la poésie aux numéros d'acrobatie ou d'animaux savants. La Fête des Fous de *Notre-Dame de Paris* plonge le lecteur dans une atmosphère de liesse populaire : c'était un festival de rues haut en couleurs et une des fêtes préférées des pauvres et des exclus. Pendant une journée dans l'année, les conventions sociales étaient bouleversées, la folie était reine, le peuple agissait à la manière des rois et les fous prenaient la place des sages. Quand il met en scène cette Fête des Fous, Victor Hugo s'applique à critiquer les valeurs nobles par la bouffonnerie et l'excès.

Le 6 janvier, jour d'Epiphanie, est aussi appelé *Jour des Rois* pour commémorer l'arrivée des Rois Mages à Bethléem au moment de la naissance de Jésus-Christ. La fête salue la fin de l'hiver et le renouveau joyeux de la végétation ; elle se termine bien souvent dans les villes en orgie. Autorisée un certain temps, cette fête exubérante, bruyante et subversive est supprimée par l'Église au milieu du XVIe siècle.

À travers les descriptions que Victor Hugo fait du peuple, foule tumultueuse, insolente, toujours prête à se soulever, on comprend pourquoi Paris a été le théâtre de tant de révolutions.

Le temps des cathédrales

À partir du XIIIe siècle, l'Europe se couvre de cathédrales, lieu sacré où siège l'évêque, dignitaire le plus élevé de la prêtrise chrétienne et où se déroulent certaines cérémonies très importantes comme l'ordination des prêtres. La région parisienne est le berceau de l'art gothique né pour répondre à un besoin primordial chez les maîtres d'œuvre : construire des églises à la fois hautes et claires. De plus, l'architecture gothique (ogivale) avec ses formes élancées et légères évoque une foi épurée et dégagée des lourdes masses des églises romanes. L'homme, avec les flèches des cathédrales, lance sa foi vers Dieu.

La construction et la décoration de ces édifices fait appel à de nombreux ouvriers et artisans :

architectes, tailleurs de pierre, maçons, sculpteurs, charpentiers, vitriers, orfèvres… qui s'organisent en « corporations » dont les « maîtres » choisissent les « compagnons ». Les secrets de fabrication de ces groupes se transmettent, entre initiés, de génération en génération ; chaque membre doit prouver ses capacités en réalisant un chef d'œuvre. Cette organisation de la vie artisanale existe encore au XXIe siècle (« les compagnons du devoir ») et propose une formation très prisée.

Au Moyen Âge, la décoration des cathédrales jouait un rôle important d'éducation et d'enseignement. Les sculptures, parfois appelées « images » et les vitraux, véritable catéchisme en couleur, rappellent aux fidèles les épisodes des livres saints. L'avènement de l'imprimerie vers la moitié du XVe siècle apparaît donc comme un danger pour la vocation éducative des édifices religieux. Le progrès apporté par l'invention de Gutenberg met fin à l'âge des cathédrales. Victor Hugo, dans le livre 5 de *Notre-Dame de Paris* affirme que « Le livre va tuer l'édifice » : « Ceci tuera cela », dit Claude Frollo. Le roman contient un plaidoyer pour la sauvegarde des monuments anciens et le succès du livre *Notre-Dame de Paris* agira en faveur de la restauration de la cathédrale, fort délabrée, par Viollet-le-Duc à partir de 1841.

Les cathédrales, (comme les cimetières), étaient au Moyen Âge des « terres d'asile » : il suffisait à un voleur de toucher « l'anneau de salut » à l'entrée de l'édifice pour être à l'abri des poursuites. Cette coutume existe encore, en théorie, mais elle n'est pas toujours respectée.

Sorciers et alchimistes

Au Moyen Âge, la médecine n'existe quasiment pas dans les campagnes et les paysans sont soignés par des sorciers, des guérisseurs, qui utilisent les plantes médicinales. Ces « médecins » cueillent certaines herbes, prélèvent des substances minérales, dépècent des animaux et fabriquent, en les mélangeant, en les faisant cuire, des préparations qu'ils administrent aux malades. Il est facile d'associer ces pratiques à de la magie surtout lorsque les résultats sont probants ! Qui étaient ces hommes et ces femmes qui se prenaient pour Dieu, seul être à pouvoir faire des miracles ?

Admirés et redoutés, d'autres chercheurs, les alchimistes, inquiètent également l'EÉglise par leur savoir diabolique, leurs formules étranges, leurs ambitions inavouées : ne prétendent-ils pas fabriquer des métaux précieux ? Le roi s'inquiète aussi : ne risquent-ils pas d'inonder d'or le royaume ? Les alchimistes cachent donc souvent leurs activités secrètes sous une profession avouée. Mais s'ils sont découverts, on les brûle, on les persécute comme les sorciers.

Le Moyen Âge est une période où chercheurs, innovateurs, scientifiques sont maltraités, torturés, exécutés parce que le résultat de leur art remet en question les croyances, les principes en vigueur. Ils sont les victimes de l'ignorance et des superstitions de leurs autorités religieuses et politiques qui estiment que ces gens sont possédés par le diable, le démon. Il en va de même pour les personnes nées avec une malformation (bossus, borgnes, sourds, paralysés, névrosés, épileptiques, ...) qui sont considérées comme ensorcelées et doivent être exorcisées.

Victor Hugo fait triompher le romantisme.

Notre-Dame de Paris est publié en 1831, un an après la fameuse « bataille » d'*Hernani* qui a vu s'opposer classiques et romantiques, la mesure et la raison des premiers face à la véhémence des seconds.

Si Victor Hugo n'est pas l'instigateur du mouvement littéraire romantique, il l'a fait triompher. Le romantisme est un état de la sensibilité européenne à la fin du XVIIIe siècle et au début du XIXe. Il se caractérise par une opposition au classicisme antique, païen et méridional. La raison est remplacée par l'émotion et la sensibilité. Trouble, mélancolie et passion (Claude Frollo, prêtre amoureux d'une jeune femme, ne contrôle plus ses sentiments, il est victime de sa passion et se laisse entraîner dans la tricherie, le mensonge et l'assassinat) sont trois maîtres mots du romantisme. Les auteurs peignent les couleurs, font revivre le passé (en particulier le Moyen âge chrétien) et laissent une large place au rêve et à l'imaginaire.

Victor Hugo traverse la quasi totalité du XIXe siècle, période qui, en France, connaît un contexte politique mouvementé : deux révolutions, celle de 1830 et celle de 1848 ; deux empires, celui de Napoléon Ier et celui de Napoléon III (le « petit Napoléon » tant critiqué par Victor Hugo) ; trois monarchies et deux républiques.

Victor Hugo s'inscrit dans ce mouvement en réclamant pour l'art une liberté pleine et entière. Avec *Notre-Dame de Paris*, roman dont l'héroïne est une cathédrale gothique, il compose une vaste fresque qui comporte onze livres de plusieurs chapitres chacun et dont l'action se situe à la fin du

VIe siècle, à la fin du Moyen Âge. Victor Hugo utilise ses dons de peintre et de coloriste. Par souci de vérité, il mêle « l'ombre à la lumière, le grotesque au sublime, en d'autres termes, le corps à l'âme, la bête à l'esprit. » C'est ainsi que Victor Hugo met en pratique sa critique des valeurs « classiques » et la victoire des grimaces de Quasimodo à la fête des Fous sur le noble mystère de Pierre Gringoire en est une belle illustration.

Postérité de l'œuvre

Notre-Dame de Paris est une œuvre de jeunesse puisque Victor Hugo avait à peine trente ans au moment où le roman a été publié, mais elle connaît immédiatement un succès formidable. L'intrigue, l'histoire, a été reprise sous d'autres formes artistiques.

Les personnages fascinent le lecteur et le spectateur. C'est une œuvre moderne, les thèmes abordés par Victor Hugo sont quasiment intemporels. Quasimodo, le monstre, si souvent exclu de l'humanité, fait preuve de générosité et d'amour désintéressé ; Claude Frollo, prêtre, donneur de leçons, succombe à la tentation et se laisse séduire et ensorceler par une femme ; Esmeralda, la bohémienne, la Zingara, l'étrangère, est rejetée par la société, et sa beauté et son innocence la rendent encore plus indésirable dans un monde qui se veut vertueux. Et puis, le personnage principal, la cathédrale Notre-Dame de Paris, édifice religieux, qui est devenu un des monuments parisiens les plus fréquentés par les touristes de nos jours.

L'histoire de *Notre-Dame de Paris* a donné naissance à trois opéras, deux ballets (dont un de Roland Petit à l'Opéra National de Paris, 1965, musique de Maurice Jarre, costumes d'Yves Saint-Laurent), diverses pièces de théâtre, huit films et téléfilms, quatre comédies musicales, un dessin animé et une bande dessinée (Gotlib et Alexis, 1976).

Notre-Dame de Paris *est adapté pour l'Opéra*

C'est Victor Hugo qui écrit l'adaptation de son roman pour l'Opéra sous le titre *La Esmeralda*. En effet, le poète ne fait pas confiance aux librettistes italiens de son époque, mais, intéressé par la musique toujours présente dans ses drames, il est attiré par une nouvelles expérience. Joué en 1836, l'Opéra est un échec : la liberté créatrice de Victor Hugo ne peut s'accommoder des contraintes pesant à l'époque sur l'Opéra français.

Notre-Dame de Paris *est adapté au cinéma*

1905 : *La Esmeralda*, film muet français en noir et blanc de la première cinéaste femme, Alice Guy

1911 : *Notre-Dame de Paris*, film français d'Albert Capellani

1913 : *Notre-Dame de Paris*, film italien d'Ernesto Pasquali

1924 : *The Hunchback of Notre-Dame* (Le Bossu de Notre-Dame) film américain de W. Worsley avec Lon Chaney dans le rôle de Quasimodo

1939 : *Quasimodo, The Hunchback of Notre-Dame*, film américain de William Dieterle, avec Charles Laughton et Maureen O'Hara

1956 : *Notre-Dame de Paris*, film français de Jean Delannoy, scénario et adaptation de Jacques Prévert, avec Gina Lollobrigida (Esmeralda), Anthony Quinn (Quasimodo), Alain Cuny (Claude Frollo). « Les personnages gardent ici leur puissance romantique tout en restant vraisemblables et nuancés).

1996 : *The Hunchback of Notre-Dame*, dessin animé américain, Walt Disney. "Malgré quelques gargouilles et un ensemble de chansons sympathiques, ce film animé s'adresse plutôt aux adultes, tout comme le roman d'où il a été tiré, d'ailleurs. Il reste globalement fidèle au texte avec, toutefois, une fin un peu plus heureuse ».

1998 : *Quasimodo d'el Paris*, film français de Patrick Timsit. Avec P. Timsit (Quasimodo), R. Berry (Claude Frollo), M. Thierry (Esmeralda), V. Elbaz (Phœbus). Trop laid pour être le fils du gouverneur de la ville d'El Paris, Quasimodo est échangé à l'âge de quatre ans contre une ravissante petite Cubaine, puis enfermé dans une cathédrale immense où l'ignoble Frollo, un sale démon, profite de lui pour nettoyer la ville de ses pires ennemies : les femmes. Libre adaptation.

Notre-Dame de Paris *devient une comédie musicale*

1999 : *Notre-Dame de Paris*, comédie musicale franco-québécoise, paroles de L. Plamondon, musique de R. Cocciante, avec Garou (Quasimodo), H. Ségara (Esmeralda), D. Lavoie (Claude Frollo), P. Fiori (Phœbus), J. Zenatti (Fleur-de-Lys), B. Pelletier (Pierre Gringoire).

Le spectacle remporte un succès phénoménal. Salles combles, vente de disques exceptionnelle. La Cour des Miracles du roman est habitée par les sans papiers des temps modernes qui, dans une des chansons, demandent « asile ». Une transposition du Paris du Moyen âge au XXe siècle qui fait passer un message d'actualité. « Il est exact de dire que *Notre-Dame de Paris* est une histoire qui ne pourra jamais ... mourir ! »

Notre-Dame de Paris *et Internet*

Le bicentenaire de la naissance de Victor Hugo en 2002 a été l'occasion de la création ou de l'enrichissement de sites Internet.

http://victorhugo.bnf.fr

Ce site très complet de la Bibliothèque nationale de France est riche en documents audiovisuels, bandes sonores, dessins et manuscrits qui permettent d'approcher les œuvres et la vie de Victor Hugo de manière interactive. Cinq thèmes sont développés : l'océan, le voyage, la vision littéraire, la vision graphique, la vision politique. Des dossiers invitent à découvrir l'écrivain et ses combats pour la liberté. Vous pourrez également trouver les *Œuvres complètes*, publiées en 1985 sous la direction de J. Seebacher et G. Rosa.

www.herodote.net/histoire03160.htm

C'est un site historique très complet. Une multitude d'informations vous sont offertes sur la période ou l'événement historique recherché. En l'occurrence, *le 16 mars 1831,* dans *Le Temps des révolutions,* retrace le contexte historique de la publication de *Notre-Dame de Paris*. De nombreux liens sont proposés qui font voyager à travers la petite et la grande histoire. Dans *Les Dossiers*, grâce au lien *Victor Hugo*, on découvre une courte biographie, un rappel des événements de la fameuse bataille d'*Hernani* et un hommage au poète disparu.

http://www.livresse.com/Auteurs/hugo-victor-200

Ce site renvoie au texte, à la biographie, à l'analyse des œuvres de Victor Hugo. Des liens permettent de s'informer sur la maison parisienne du poète, sur l'île de Guernesey.... La présentation simple, concise et complète est recommandée pour les enseignants.

www.victorhugo.asso.fr

La Société des amis de Victor Hugo, fondée le 6 janvier 2000, essaie de contribuer au rayonnement de la pensée et de l'œuvre de Victor Hugo. Son site rassemble des informations concernant l'association, ses activités passées et futures, des extraits d'anciens numéros de sa revue, ainsi que des liens utiles renvoyant aux autres sites hugoliens sur Internet.

http://www.cathedraledeparis.com/FR/O.asp

Pour ceux qui veulent découvrir le bâtiment tant de l'intérieur que de l'extérieur, ce site offre une visite de la cathédrale avec de nombreuses photos. Il est possible de survoler les lieux en cliquant avec la souris, de retrouver l'histoire de la construction et de la restauration de l'édifice, d'obtenir les informations pratiques, de se familiariser avec le lexique nécessaire à la compréhension des textes. Ce site met en lien étroit la vie de la cathédrale avec la pensée religieuse catholique. À regarder : la rubrique *Pour en savoir plus*.

www.rouen.iufm.fr/pedagogie/productions stagiaires

Ce site simple, clair, synthétique présente un résumé du roman et une analyse fine des personnages. Il propose aussi des liens avec les autres œuvres de Victor Hugo. Les pages de ce site ont été réalisées par des élèves d'une classe de 4e d'un collège.

www.pagebleu.com/nddp/vh.htm

Il s'agit d'un site très complet, franco-québécois, qui présente l'auteur, l'œuvre et les personnages. On y trouve de nombreuses informations sur tout ce qui contribue au succès de la comédie musicale : les artistes, la technique, la chorégraphie, les moyens mis en œuvre...

http://www.notredameonline.com

Ce site offre plus particulièrement des informations sur la comédie musicale. Il présente une biographie de Victor Hugo et une bonne analyse sur les relations entre les personnages, héros de l'œuvre.

Frollo et Esmeralda, *par Auguste Coulder (1790-1873).*
Exposé à la maison de Victor Hugo, Paris.

Notes personnelles

Notes personnelles

Notes personnelles